OTTO BIBA

GOTT ERHALTE!

Joseph Haydns Kaiserhymne

GOD PRESERVE!

Joseph Haydn's Imperial Anthem

English version by Eugene Hartzell

Faksimile des Erstdrucks 1797
Facsimile of the First Edition, 1797

DOBLINGER
09 557

Das Faksimile wurde nach einem Exemplar der Erstausgabe im Archiv der Gesellschaft der Musikfreunde in Wien hergestellt und gegenüber dem Original geringfügig verkleinert. Das Exemplar stammt aus dem Besitz des Haydn-Biographen Carl Ferdinand Pohl (1819 — 1887) und trägt auf dem Titel seinen Namenszug. Auch die Illustrationen des begleitenden Textes sind nach Originalen im Archiv der Gesellschaft der Musikfreunde in Wien wiedergegeben.

The facsimile was produced from a copy of the first edition in the Archives of the Gesellschaft der Musikfreunde in Vienna. It is slightly reduced in size. The copy is from the estate of the Haydn biographer Carl Ferdinand Pohl (1819 – 1887) and has his signature on the title page. The illustrations in the text were likewise reproduced from originals owned by the Archives of the Gesellschaft der Musikfreunde in Vienna.

2., verbesserte Auflage 1995

Titelentwurf: Heinz Moser / Reproduktionen: Dannerer Wien
Satz und Druck: Doblinger Wien

ISBN 3-900 035-74-1
D. 16 558
Bestell-Nummer 09 557

Inhalt / Contents

3

Entstehung und Verbreitung

Will man Entstehung und Erfolg von Joseph Haydns Kaiserhymne verstehen, so muß man sich die politische Situation Österreichs zur Zeit der Komposition in Erinnerung rufen.

Seit der französischen Kriegserklärung vom 20. April 1792 war Österreich in einen Krieg mit Frankreich verwickelt, der mit wechselnden Erfolgen zunächst hauptsächlich in den österreichischen Niederlanden und am Rhein geführt wurde. Zu Beginn des Jahres 1796 entwarf der französische Kriegsminister Carnot jedoch einen Plan zu einem raschen militärischen Vorstoß in das Zentrum der habsburgischen Monarchie und damit zu deren Zerstörung: Der sechsundzwanzigjährige General Bonaparte erhielt den Oberbefehl über die französischen Truppen auf dem italienischen Kriegsschauplatz, um Österreich von dieser Seite her stärker zuzusetzen. Noch in diesem Jahr 1796 sollte sich die französische Rheinarmee mit den in Italien stehenden französischen Truppen im Raume Wien vereinigen. In der Schlacht bei Würzburg am 3. September 1796 konnte Erzherzog Karl der französischen Rheinarmee zwar eine empfindliche Niederlage zufügen und in kleineren Gefechten das weitere Vordringen der Franzosen verhindern, aber bei den besonders heftigen Auseinandersetzungen in Oberitalien blieb immer Bonaparte siegreich. Die österreichischen Truppen mußten Stellung für Stellung aufgeben und befanden sich stets auf dem Rückzug. Am 3. Februar 1797 fiel die seit Monaten belagerte österreichische Festung Mantua, Anfang März stießen die französischen Truppen in Tirol, von Süden kommend, bis Sterzing vor, Bonaparte eroberte Villach und Klagenfurt und stand schon in der Steiermark. Am 7. April konnte Erzherzog Karl in Judenburg mit Bonaparte einen Waffenstillstand schließen. Unschwer war vorauszuahnen, wozu Österreich am 17. Oktober 1797 im Frieden von Campoformido seine Zustimmung geben mußte: Österreich tritt die österreichischen Niederlande, die Lombardei und ganz Oberitalien bis zur Etsch an die junge französische Republik ab und verliert den Breisgau an den von Frankreichs Gnaden residierenden Herzog von Modena; einige Teile der von Frankreich aufgelösten Republik Venedig fallen an Österreich. Österreich war gedemütigt und geschwächt, Frankreich enorm gestärkt, und jeder wußte, daß dieser Friede nicht von langer Dauer sein konnte.

In dieser Zeit der größten Bedrängnis am Anfang des Jahres 1797 fiel auf den 12. Februar der Geburtstag von Kaiser Franz II., der ja nicht nur die habsburgischen Länder regierte, sondern auch gewählter römisch-deutscher Kaiser war. Seiner Position vor allem galt der französische Angriff, der Kaiser befand sich in

Kaiser Franz II., Punktierstich von J. Glanz

Emperor Franz II., stipple engraving by J. Glanz

der Defensive. Er war seinem überraschend verstorbenen Vater Leopold II. 1792 in der Regierung gefolgt, hatte sich aber in dieser unglücklichen Kriegszeit als Landesvater nicht recht profilieren können; sein Bruder, der Feldmarschall Erzherzog Karl, war beim Volk sogar beliebter. In einer solchen Notzeit war aber die völlige und vertrauensvolle Identifizierung der Bürger mit ihrem Land und ihrem Regenten von hoher politischer Notwendigkeit.

So bestellte der Regierungspräsident von Niederösterreich, Franz Josef Graf von Saurau, bei dem Dichter Lorenz Leopold Haschka einen Text für ein Lied, das diese Einigkeit beschwören und als Nationallied Ausdruck einer neu zu entfachenden, hoffnungsvollen und selbstbewußten patriotischen Begeisterung werden sollte. Joseph Haydn bat er um die Vertonung dieses Liedes. Haydn hatte bei seinen beiden Aufenthalten in England die Hymne „God Save the King" als ein solches Nationallied kennengelernt, wußte daher von der Bedeutung dieser Idee des Grafen von Saurau, identifizierte sich damit völlig und nannte sein Lied vielsagend „Volkslied". Der Geburtstag des Kaisers sollte der Anlaß sein, das Lied erstmals vorzustellen. Haydn hatte es zwischen Mitte Oktober 1796 und Mitte Jänner 1797 komponiert, Graf von Saurau gab selbst auf die autographe Reinschrift Haydns am 28. Jänner 1797 sein Imprimatur, umgehend wurde das Lied gedruckt. Im Burgtheater spielte man an diesem 12. Februar 1797 den zweiten Akt von Carl Ditters von Dittersdorfs komischer Oper „Doktor und Apotheker" und danach das „heroisch-tragisch-pantomimische Ballett Alonzo und Cora" mit der Musik von Haydns Patenkind Joseph Weigl. Wohl dazwischen erklang hier zum ersten Mal vor dem anwesenden Kaiserpaar Haydns „Volkslied", die später so bezeichnete „Kaiserhymne".

In einer entsprechend gut vorbereiteten Aktion waren die noch druckfeuchten Exemplare des Liedes an alle Schauspielhäuser, Opernhäuser und ähnliche Institutionen in den wichtigsten Städten der Monarchie gegangen, damit es auch dort zu den Vorstellungen an diesem 12. Februar 1797 erklingen könne. Es blieb den Bühnen und ihren Möglichkeiten überlassen, wie das Lied aufgeführt wurde, ob es der dortige Kapellmeister etwa mehrstimmig für Chor setzte oder für Orchester instrumentierte; die Erstausgabe brachte die Melodie des Liedes einstimmig und dazu eine Klavierbegleitung. All das war jedenfalls ein wohlorganisierter Akt patriotischer Demonstration, der Geburtstag des Kaisers war willkommener Anlaß. Die „Wiener Zeitung" berichtete ausführlich:

„Bey dem am 12. d. M. eingefallenen Geburtsfeste unseres glorreich herrschenden Kaisers, haben allhier sowohl, als in sämtlichen K. K. Erbstaaten die getreuen Unterthanen, gleichsam wetteifernd, neue Beweise ihrer Liebe, Ehrfurcht und Verehrung gegen den gütigen Monarchen und das durchlauchtigste Erzhaus, an den Tag gelegt. Nach den verschiedentlich eingehenden Berichten, war dieser Tag allenthalben, in dem gesamten Umfange der K. K. Erbstaaten, ein Tag der Feyer, des Jubels und Entzückens, voll heisser Segenswünsche für den theuren Landesvater. Diese Empfindungen äusserten sich insbesondere, als hier in allen Schauspielhäusern das von Hr. Haschka verfaßte und von dem berühmtesten Tonsetzer unserer Zeit Hrn. Hayden, in Musik gesetzte Nazional-Lied, Gott erhalte den Kaiser! von dem Orchester angestimmt wurde, und den regen Gefühlen aller Herzen gleichsam die Bahn öffnete. Sie brachen in lauten Jubel aus, als Se. Maj. selbst in der Loge erschienen, und Ihre Rührung auf das huldvollste zu erkennen gaben. Gleich festlich war dieser Tag in allen Städten der Monarchie . . . Zu Grätz [= Graz] versammelte sich das Publikum im Schauspielhause, wo . . . auch am Schlusse unter einer eigens dazu verfertigten allegorischen Dekorazion, von den Opernsängern, unter jubelnder Zustimmung des Publikums, das oben erwähnte Nazional-Lied abgesungen wurde . . . Von ähnlichen Feyerlichkeiten wird auch aus Judenburg und Leoben berichtet . . . Eben dieses Lied, in wälsche [= italienische] Verse gebracht, wurde zu Triest, in dem prächtig beleuchteten Schauspielhaus, und in Gegenwart Sr. Königl. Hoheit des Erzherzogs Ferdinand, und seiner durchlauchtigen Gemahlin abgesungen. Zu Innsbruck, wo das Schauspielhaus gegenwärtig geschlossen ist, wurde im Sale der Universitäts- Bibliothek eine große musikalische Akademie gehalten, und zu Anfang derselben sowohl, als am Ende, das ofterwähnte Nazional-Lied gesungen. . . . Zu Prag hat die Universität eine besondere Feyerlichkeit veranstaltet. . . . Hierauf wurde von sämmtlichen akademischen Bürgern ein von Herrn Meinert verfaßtes, und von Herrn Weber in Musik gesetztes Nazional-Lied der Böhmen, Franz der zweyte betitelt abgesungen . . . und zuletzt wurde des Hrn. Haschka Nazional-Lied, Gott erhalte den Kaiser, abgesungen . . . Aehnliche Berichte sind uns von Brünn, Krakau, Ofen, Pest, und aus anderen Städten zugekommen."

Interessant ist, daß man in Prag die Treue zum Regenten in zweifacher Weise ausdrücken wollte: Erst jene zum böhmischen König Franz (als solcher Franz I.) mit einem „Nazional-Lied der Böhmen" und danach jene zum Kaiser Franz (als solcher Franz II.). Der im übrigen deutschsprachige Text von J. G. Meinert lehnt sich wohl bewußt an Haschka an: „Gott erhalte unsern König, Gott erhalte Vater Franz." Die Melodie von Friedrich Dionys Weber brachte kaum Voraussetzungen mit, musikalisches Allgemeingut werden zu können. Was als Nationallied des Königreiches Böhmen gedacht gewesen war, wurde über den unmittelbaren Anlaß hinaus gleich wieder vergessen.

Haydns Lied hingegen erschien nach dieser Erstausgabe, die ohne Verlagsangabe und wahrscheinlich auf Kosten einer Regierungsbehörde publiziert worden war, noch im selben Jahr 1797 in unterschiedlichen Ausgaben in fünf verschiedenen Verlagen und auch schon in ersten Bearbeitungen (unter anderem für Klavier alleine, für zwei Violinen oder für zwei Flöten). 1799 und 1800 kamen in London zwei Ausgaben in englischer Übersetzung heraus, 1806 erschien in Salzburg Michael Haydns Bearbeitung für Männerquartett.

Es fällt freilich schwer, festzustellen, ob man das Lied damals schon als Hymne mit „offizieller Bedeutung" angesehen hat oder „nur" als sehr populären und wichtigen patriotischen Gesang. Die Salzburger Ausgabe mit dem Untertitel „Zum ersten Mahl abgesungen zu Salzburg den 17. März 1806, am Tage der Erbhuldigung" scheint schon auf den Charakter einer Hymne hinzuweisen, denn dieses zuvor selbständige Land war Österreich als Entschädigung für viele verlorene Gebiete im Preßburger Frieden vom 26. Dezember 1805 zugefallen; die Erbhuldigung bedeutete die offizielle Übernahme des Landes, seiner Verwaltung und seiner Regierung durch Österreich.

Im Laufe der Zeit entwickelte sich das Lied aber jedenfalls immer mehr zur Hymne. Hatte es 1809, als die französischen Truppen sogar Wien belagerten und einnahmen, nochmals patriotische Begeisterung anzufachen und in dieser bedrängten Lage die Hoffnung auf guten Ausgang zu wecken, so nahm es spätestens mit der endgültigen Niederwerfung Napoleons, mit dem neuen Aufblühen des schließlich siegreichen Österreich den Charakter einer Hymne an. Zwar hatte Kaiser Franz 1806 die deutsche Kaiserkrone zurücklegen müssen, da das alte Heilige Römische Reich Deutscher Nation von Napoleon zerschlagen worden war und nicht mehr existierte, er konnte sich aber schon seit 1804 Kaiser von Österreich nennen. Mit dem Ende der napoleonischen Kriege erreichte seine Popularität einen Höhepunkt. Nun war er tatsächlich in aller Augen der „gute Kaiser Franz". Die Entwicklung zur Nationalhymne war schließlich 1826 abgeschlossen, als man dem Lied bindend seinen Platz im Protokoll gab. Der Hofkompositeur Franz Krommer wurde beauftragt, das Lied für Militärmusik zu instrumentieren; die bei Tobias Haslinger in Wien gestochenen und gedruckten

Noten waren ausschließlich für die Regimentskapellen der ganzen Monarchie
bestimmt und gingen diesen kostenlos zu; im Handel war diese Bearbeitung
nicht erhältlich. In einer Allerhöchsten Entschließung vom 1. Oktober 1826 lesen
wir dazu: „Die Absicht geht . . . dahin, daß dieses Volkslied in Hinkunft von allen
Musikbanden der Regimenter gespielt werde, wenn die Musik paradiert und von
einer sehr hohen Person in Augenschein genommen wird, welcher das Schlagen
des Spieles nach dem Regulament gebührt. . . . Dabei wird es auch nöthig, alle
Vorsichten zu treffen, daß diese Hymne durchaus den hinausgegebenen Origi-
nalien genau gleich ausgeführt werde, weil jede eigenmächtige Abänderung
oder vermeintliche Verzierung den wahren Geist und das Ehrwürdige verfehlen
würde." Daß nach dem Hinweis auf dem Titelblatt Franz Krommers Bearbeitung
für „türkische Musik" bestimmt war, darf uns nicht verwirren. Die Militärmusik-
Besetzung wurde damals nach einer alten Tradition immer noch als türkische
Musik bezeichnet.

Fortleben und neue Aktualität

Der ursprüngliche Text dieser Hymne von dem zu seiner Zeit als Dichter aner-
kannten Ästhetik-Professor Lorenz Leopold Haschka war schon frühzeitig über-
setzt, bearbeitet, aber auch durch andere Verse ersetzt worden. Die erste engli-
sche Übersetzung stammte von Charles Burney, die erste nachweisbare italienische von Giuseppe Carpani, eine weitere von Giuseppe Bombardini. Im weiteren
kam es zu Übersetzungen in alle Sprachen, die in der Monarchie gesprochen
wurden, sowie ins Lateinische, das ja in manchen Gebieten als Amtssprache
galt. Die Textbearbeitungen reichen von geringfügigen Varianten bis zu Zusatz-
strophen, die auf aktuelle Zeitereignisse anspielen oder spätere Gattinnen des
Kaisers in die Wünsche und in die Huldigung einbeziehen.

Es spricht aber auch für die Qualität und Popularität von Haydns Liedmelodie,
die im übrigen nicht nur von ihm selbst in seinem „Kaiserquartett" (Hob.III:77),
sondern auch von zahlreichen anderen Komponisten bis in die Gegenwart als
Thema für Variationenwerke benützt wurde, daß man ihr auch völlig andere
Texte unterlegt hat. Wenn man noch 1797 dazu auch den Text „Gott erhalte Karl
den Helden" sang, so ist das ein Zeugnis latent vorhandener politischer Span-
nungen. Andere Texte – immer noch aus der Zeit der napoleonischen Kriege –
hoffen auf Sieg und auf Frieden, greifen also die ursprüngliche Intention auf.
Noch 1797 erschien Haydns Melodie aber – ohne daß der Komponist gefragt zu
werden brauchte, ohne daß er darauf Einfluß nehmen oder daraus Gewinn hätte
ziehen können – in Hamburg als „Gesellschafts-Lied . . . von Herrn Joseph
Haydn" mit dem Text „Auf ihr Schwestern, auf ihr Brüder, die der Freundschaft
Band umschließt . . . " und um 1800 ebendort als „Volkslied fur Hamburgs glück-
liche Bürger mit Musik von J. Haydn – Singt in jubelvollen Chören, Vivat!
Hamburg lebe hoch"). 1799 konnte man das Lied von einem Berliner Verlag
als Freimaurer-Gesang („Brüder, die des Bundes Schöne auf der Erde rund vereint . . .") erwerben und zehn Jahre später in einer Pariser Ausgabe erstmals als
Offertorium für den katholischen Gottesdienst mit dem Text „Domine Salvum fac
Regem". Die Unterlegungen verschiedenster liturgischer und paraliturgischer
lateinischer Texten wurden später so zahlreich, daß sie überhaupt unüberschau-
bar sind. Noch heute wird die Melodie mancherorts als „Tantum ergo" gesungen. Von den zahlreichen weiteren Textunterlegungen sei nur noch der 1827
erschienene „Volksgesang für Chor mit neuem Text an S. M. den König von
Sachsen" erwähnt, der zu dieser Zeit bereits ein Plagiat mit politischer Brisanz
bedeuten mußte. Von dieser Ausgabe ist heute kein erhaltenes Exemplar
bekannt; es ist nicht auszuschließen, daß sie nach einer Intervention auf
Regierungsebene wieder eingezogen wurde.

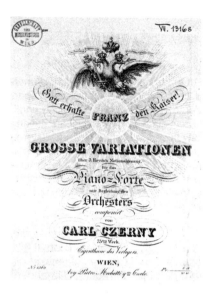
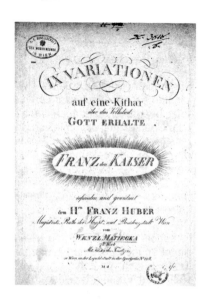

Erstausgaben von Variationen über die Kaiserhymne: Carl Czerny (1791–1857), 1824; Wenzel Matiegka (1773–1830), um 1820; Simon Sechter (1788–1867), 1828

First editions of variations on the imperial anthem: Carl Czerny (1791–1857), 1824; Wenzel Matiegka (1773–1830), c. 1820; Simon Sechter (1788–1867), 1828

Erstausgabe der Fassung für Kaiser
Ferdinand I. mit dem Text von Joseph
Christian Freiherrn von Zedlitz, 1836

First edition of the version for Emperor
Ferdinand I, with words by Baron
Joseph Christian von Zedlitz, 1836

Mit dem Tod von Kaiser Franz am 2. März 1835 und der Regierungsnachfolge
durch seinen Sohn Ferdinand I. wurde ein neuer Text für die Hymne zu einer
staatspolitischen Notwendigkeit. Der Text mußte rasch gefunden werden, weil
der Geburtstag des neuen Kaisers auf den 19. April fiel; zu diesem Termin mußte
der neue Hymnentext vorgestellt und eingeführt werden. Schon am 24. März lagen vierzehn Entwürfe vor, doch konnte sich eine an diesem Tag unter dem Vor-
sitz des Staatskanzlers Fürst Metternich tagende Kommission für keinen der
Texte entscheiden; sie gab vielmehr aus nicht klar ersichtlichen Gründen dem
aus Breslau stammendn und eben in Wien gastierenden Schauspieler und Dichter Karl von Holtei den Auftrag, einen neuen, wieder vierstrophigen Text zu verfassen. Am 19. April 1835 erklang er in den Theatern; der Text wurde, ähnlich
wie 1797 das „Volkslied", gedruckt an das Publikum verteilt. Lesen wir heute
den Text, wundert es uns nicht, daß er im Volk durchwegs auf Ablehnung stieß;
im Burgtheater wurde er schon an diesem 19. April trotz der Anwesenheit des
Kaiserpaares ausgezischt. Überraschend wurde sogar eine „Patriotische
Hymne" von Anton Diabelli mit einem Text des Schubert-Freundes Josef
Schickh so populär, daß sie schon als eine Art von „Gegenhymne" gesehen
wurde, nach zeitgenössischen Stimmen nicht zuletzt auch deshalb, weil ihr Text
von einem Einheimischen stammte. Die Frage des Hymnen-Textes war plötzlich

11

zu einer Staatsaffäre geworden. So wurde ohne großes Aufheben Joseph Christian Freiherr von Zedlitz, ehemals aktiver Offizier und nunmehr Privatier in Wien mit erfolgreichen dichterischen Ambitionen, gebeten, zu Haydns Melodie einen neuen Text zu verfassen, der jenen von Holtei ablösen könnte. Mit Handschreiben des Kaisers vom 3. Februar 1836 wurde der von Zedlitz umgehend vorgelegte Text genehmigt und mit Erlaß vom 12. Februar dieses Jahres als offizieller Hymnen-Text eingeführt. Wir kennen ihn wieder in vielen Übersetzungen: in ungarischer, tschechischer, polnischer, illyrischer, kroatischer, serbischer, slowenischer, italienischer, ruthenischer, rumänischer, walachischer, neugriechischer, aramäischer, hebräischer und lateinischer Sprache.

Als Hymne war das Werk nun schon so weit im allgemeinen Bewußtsein verankert, daß es zu keinen größeren, entwürdigenden Plagiaten mehr kam. Außerhalb Österreichs lebte einerseits eine Variante des Haschka-Textes fort, andererseits gab August Heinrich Hoffmann von Fallersleben mit seinem 1841 erstmals veröffentlichten „Lied der Deutschen" der Haydn-Melodie ihre neue Textunterlegung, die in der Zukunft zum politischen Konfliktstoff werden sollte.

In Österreich kam es im Zusammenhang mit den Ereignissen des Jahres 1848 zu verschiedenen politischen Aktualisierungen und Neutextierungen. Ein Text von Benno Phisemar feierte Ferdinand als ersten konstitutionellen Kaiser, ein anderer von Joseph Paul Czerny brachte die Sorge um den Bestand der Monarchie zum Ausdruck: „Gott erhöre unser Flehen, segne unsern Ferdinand! Lasse ihm zur Seite stehen Räthe, die die Eintracht band . . ." Es waren, auch wenn sie gedruckt Verbreitung fanden, nur kurzlebige poetische Ergüsse.

Als aber am 2. Dezember 1848 Kaiser Ferdinand abdankte und sein achtzehnjähriger Neffe Franz Joseph den Thron bestieg, wurde wieder ein neuer offizieller Text notwendig. Neue Texte wurden vorgeschlagen und bei der Regierung eingereicht, doch wollte man dort gar nicht so bald das Problem der Textänderung angehen. Nach dem durch die Revolution so turbulenten Jahr 1848 sollte zunächst vor allem das Positive von Tradition und Kontinuität demonstrativ unter Beweis gestellt werden. Dafür nahm man auch einen im Grund überholt gewordenen Hymnen-Text und lokale, uneinheitliche Textvarianten in Kauf.

Allerdings war Ministerpräsident Felix Fürst Schwarzenberg schon bald nach Franz Josephs Thronbesteigung an Franz Grillparzer mit dem Wunsch nach einem entsprechenden Text herangetreten. Der Dichter hatte schon 1835 einen Text entworfen, diesen aber wahrscheinlich nie eingereicht. Auch jetzt reagierte er vorerst überhaupt nicht. Erst 1853 wurde die Frage des Hymnen-Textes wieder aufgegriffen. Ein allerhöchstes Handschreiben vom 9. April 1853 lud Grillparzer durch den Minister des Inneren, Alexander Freiherr von Bach, nochmals dazu ein, den gesuchten Text zu verfassen. Grillparzer überreichte nun seinen geringfügig abgeänderten Entwurf von 1835, äußerte in einem Begleitschreiben aber auch gleich seine Bedenken: „ . . . Verse nach einer schon vorhandenen Melodie zu dichten, Verse, die gesungen werden und Abschnitte und Nachdruck da haben sollen, wo ihn die Musik hat, setzt eine Übung in derlei voraus, die ich nicht besitze. Zugleich ist das Volkslied aus meinen Kinderjahren und den schwierigsten Lagen der Monarchie so sehr meinem Inneren eingeprägt, daß nebst der Musik auch der alte Text für mich eine gewisse Ehrwürdigkeit erhalten hat und ich mich gedrungen fühlte, mehr diesen alten Text den neuen Verhältnissen anzupassen, als ganz neue Worte zu schreiben, was dem Ganzen etwas Unbehilfliches gibt, . . ." — unbehilflich erscheint uns dieser Text zwar nicht, aber vielleicht für eine Hymne, die Allgemeingut werden soll, zu sehr durchdacht, zu erhaben, vielleicht sogar zu kunstvoll. Der Minister machte sich jedenfalls Grillparzers Argumente zu eigen und erbat sich die Erlaubnis des Kaisers, einen kleinen Kreis österreichischer Dichter zum Abfassen eines Textes auffordern zu dürfen. Alles mußte rasch gehen, denn für den 24. April 1854 war die Vermählung des Kaisers mit der bayerischen Prinzessin Elisabeth vorgesehen. Inzwischen hatte zwar Adalbert Stifter auf Ersuchen der k.k. Statthalterei für Oberösterreich, wo man von den ohnedies bereits laufenden Aktivitäten des

Ministeriums nichts wußte, ein Votum für eine Neutextierung der Hymne abgegeben und gemeint, daß diese jedenfalls von Franz Grillparzer stammen sollte, doch schien Grillparzers Name unter den Dichtern der nun zur engeren Wahl stehenden Texten nicht mehr auf. Am 22. März 1854 unterbreitete der Minister dem Kaiser seinen ausführlich begründeten Vorschlag, dem eingereichten Text von Johann Gabriel Seidl den Vorzug zu geben. Mit einem Handbillett vom 27. März stimmte Franz Joseph diesem Vorschlag zu. Haydns Hymne hatte damit ihren dritten offiziellen Text erhalten.

Schon damals existierte eine zusätzliche fünfte Strophe, die sich auf die bevorstehende Vermählung bezog; sie wurde vom Minister befürwortet und vom Kaiser geduldet. Später wurde sie durch eine Strophe auf die Kaiserin ersetzt, doch war die offizielle Version der Hymne stets nur vierstrophig. Um- oder Neutextierungen aus aktuellen Anlässen, deren es während der langen Regierungszeit von Kaiser Franz Joseph I. genug gegeben hätte, blieben ihr erspart; sie war nun endgültig über die Tagespolitik erhaben.

Ausgabe nach der Vermählung von Kaiser Franz Joseph I. mit Elisabeth Prinzessin in Bayern, 1855

Edition after the marriage of Emperor Franz Joseph I to Princess Elisabeth of Bavaria, 1855

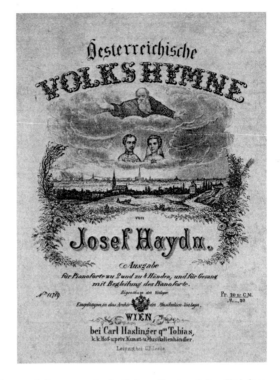

Die Hymne sollte die Tradition und den unveränderlichen Bestand des Reiches versinnbildlichen, unbeeinflußt von allen zeitbedingten Erscheinungen; so machte man sich Gedanken darüber, ob man die Melodie noch singe, wie sie 1797 zum ersten Mal erklungen war. Tatsächlich hatte einerseits Haydns Streichquartettbearbeitung die Melodie der Hymne etwas beeinflußt, andererseits waren Vorschlag-Noten im Laufe der Zeit verschieden gedeutet worden, und schließlich waren alle Harmonisierungen, Chorbearbeitungen, Instrumentationen und dergleichen stets zeitgemäß oder zeitgebunden gewesen und entsprachen somit genaugenommen stilistisch nicht der ursprünglichen Melodie. Von 1889 bis 1893 liefen Bemühungen, die Melodie wieder auf Haydns Fassung von 1797 zurückzuführen und dafür zu sorgen, daß alle Begleitungen und Harmonisierungen wieder einheitlich Haydns Stil entsprachen; davon waren Abdrucke in Schul-Liederbücher, Chor- und Orchesterfassungen und die Instrumentationen für Miltärmusik gleicherweise betroffen. Nach langen Beratungen und der Durchsicht vieler vorgelegter Entwürfe löste schließlich eine Instrumentation für Miltärmusik von Karl Komzák jene offiziell immer noch gültige von Franz

Eusebius Mandyczewski (1857 – 1929): Studien zur stilgerechten Harmonisierung der Hymne nach frühen Ausgaben und Bearbeitungen, Autograph; undatiert

Eusebius Mandyczewski (1857–1929): Studies for the stylistically correct harmonization of the anthem, based on early editions and arrangements; autograph, undated

Krommer ab, die allerdings in den Musikkapellen von den jeweiligen Kapellmeistern schon längst den geänderten Besetzungsverhältnissen angepaßt worden war, während für alle anderen üblichen Besetzungsverhältnisse fünf Bearbeitungen aus der Feder des Archivdirektors der Gesellschaft der Musikfreunde in Wien, Eusebius Mandyczewski, offiziell eingeführt wurden. Komzák wie Mandyczewski verfolgten das gleiche Ziel, nämlich Haydns Hymne in einer dem Stil ihrer Entstehungszeit entsprechenden und damit zeitlosen Einkleidung erklingen zu lassen.

Nach dem Tod von Kaiser Franz Joseph am 21. November 1916 überlegte man die Abfassung einer fünften Hymnen-Strophe, in welcher aktuell auf den nunmehrigen Kaiser Karl und allenfalls auch auf seine Gattin Zita Bezug genommen werden sollte. Die Meinungen waren geteilt, der Minister des Inneren, Friedrich Graf von Toggenburg, trat an verschiedene Dichter mit der Bitte um einen Textvorschlag heran, am 11. Mai 1918 empfahl er dem Kaiser die Annahme und Anerkennung eines Textes von Franz Karl Ginzkey.

Joseph Kratky (Lebensdaten unbekannt): Bearbeitung für achtstimmigen Chor mit dem Text in acht offiziellen Sprachen der Monarchie, Wien 1910

Joseph Kratky (dates unknown): Arrangement for eight-part chorus with words in eight official languages of the Monarchy, Vienna, 1910

Wenige Monate später brach das Reich auseinander, für welches die Hymne ein wesentliches Band der Einheit gewesen war. Am 12. November 1918 wurde die Republik Deutsch-Österreich ausgerufen, schon zuvor hatten Ungarn und die Tschechoslowakei ihre Selbständigkeit beschlossen.

Die Melodie lebte fort. Sie war mit Tradition befrachtet, aus damaliger Sicht vielleicht sogar belastet, aber man konnte sich nicht von ihr trennen. Am 11. August 1922 wurde sie mit dem aus dem Jahre 1841 stammenden Text ,,Deutschland, Deutschland über alles'' von August Heinrich Hoffmann von Fallersleben die offizielle Nationalhymne der Republik Deutschland, am 13. Dezember 1929 bestimmte man sie mit einem Text von Ottokar Kernstock (,,Sei gesegnet ohne Ende'') auch zur Bundeshymne der Republik Österreich, nachdem sich eine 1920 neu geschaffene Hymne von Wilhelm Kienzl mit einem Text von Karl Renner nicht hatte durchsetzen können. Die Regierungen in Deutschland wie sieben Jahre später in Österreich trugen damit der Popularität von Haydns Melodie Rechnung, trafen mit dieser Wahl aber auch eine politische Entscheidung, die politischen Zündstoff für die Zukunft in sich barg. Daß der Text Hoffmanns von Fallersleben die Hymne des habsburgischen Vielvölkerstaates Österreich zu einem ,,Lied der Deutschen'' umformte, wurde in der Folge zur historischen Belastung.

Mit der sogenannten Kaiserhymne, jenem ,,Volkslied'' Joseph Haydns, das dem Volk sein Staatsbewußtsein und den Völkern der österreichischen Monarchie ihr besonderes Gefühl der Zusammengehörigkeit gegeben hatte, hat dies nichts mehr zu tun; ihre Geschichte endete im Jahre 1918.

Die offiziellen Texte der Hymne

Von Lorenz Leopold Haschka (1749 – 1827)
für Kaiser Franz II. (bis 1806 als römisch-deutscher Kaiser)
bzw. Franz I. (seit 1804 als Kaiser von Österreich).
In Verwendung: 1797 bis März 1835

Gott! erhalte Franz den Kaiser,
Unsern guten Kaiser Franz!
Lange lebe Franz der Kaiser
In des Glückes hellstem Glanz!
Ihm erblühen Lorbeer-Reiser
Wo er geht, zum Ehren-Kranz!
Gott! erhalte Franz den Kaiser
Unsern guten Kaiser Franz!

Laß von seiner Fahnen Spitzen
Strahlen Sieg und Fruchtbarkeit!
Laß in Seinem Rathe sitzen
Weisheit, Klugheit, Redlichkeit;
Und mit Seiner Hoheit Blitzen
Schalten nur Gerechtigkeit!
Gott! erhalte Franz den Kaiser
Unsern guten Kaiser Franz!

Ströme Deiner Gaben Fülle
Über Ihn, Sein Haus und Reich!
Brich der Bosheit Macht; enthülle
Jeden Schelm- und Bubenstreich!
Dein Gesetz sey stets Sein Wille;
Dieser uns Gesetzen gleich!
Gott! erhalte Franz den Kaiser,
Unsern guten Kaiser Franz!

Froh erleb' Er Seiner Lande,
Seiner Völker höchsten Flor!
Seh' sie, Eins durch Bruder-Bande,
Ragen allen andern vor;
Und vernehme noch am Rande
Später Gruft der Enkel Chor:
Gott! erhalte Franz den Kaiser,
Unsern guten Kaiser Franz!

Von Karl von Holtei (1798 — 1880)
für Kaiser Ferdinand I. („der Gütige") von Österreich
In Verwendung: April 1835 — Jänner 1836

Gott erhalte unsern Kaiser,
Unsern Kaiser Ferdinand!
Reich', o Herr! dem guten Kaiser
Deine starke Vaterhand!
Wie ein zweiter Vater schalte
Er an Deiner Statt im Land!
Ja, den Kaiser, Gott! erhalte,
Unsern Kaiser Ferdinand!

Laß in seinem Rathe weilen
Weisheit und Gerechtigkeit!
Laß ihn seine Sorgen theilen
Zwischen Zeit und Ewigkeit;
Daß er hier sein Reich verwalte
Nur als Deines Reiches Pfand!
Ja, den Kaiser, Gott! erhalte,
Unsern Kaiser Ferdinand!

Gib ihm Frieden! Gib ihm Ehre!
Wenn die Ehre ruft zum Krieg,
Sei mit ihm und seinem Heere;
Unsern Fahnen schenk den Sieg;
Wo sie wallen, da entfalte
Segen sich für jeden Stand!
Ja, den Kaiser, Gott! erhalte,
Unsern Kaiser Ferdinand!

Alles wechselt im Getriebe
Vielbewegter Erdenwelt;
Doch erprobter Treu' und Liebe
Ward die Dauer beigesellt.
Uns're Treue bleibt die alte,
Unauflöslich ist ihr Band:
Ja, den Kaiser, Gott! erhalte,
Unsern Kaiser Ferdinand!

Von Joseph Christian Freiherr von Zedlitz (1790— 1862)
für Kaiser Ferdinand I. („der Gütige") von Österreich
In Verwendung: Februar 1836 bis März 1854

Segen Oest'reichs hohem Sohne,
Unserm Kaiser Ferdinand!
Gott, von Deinem Wolkenthrone
Blick' erhörend auf dies Land!
Laß Ihn auf des Lebens Höhen,
Hingestellt von Deiner Hand,
Glücklich und beglückend stehen,
Schütze unsern Ferdinand!

Alle Deine Gaben spende
Gnädig Ihm und Seinem Haus,
Alle Deine Engel sende,
Herr, auf Seinen Wegen aus!
Gib, daß Recht und Licht und Wahrheit,
Wie sie Ihm im Herzen glüh'n,
Lang in reiner ew'ger Klarheit
Noch zu uns'rem Heile blüh'n!

Palmen laß' Sein Haupt umkränzen,
Scheuche Krieg und Zwietracht fort,
Laß Ihn hoch und herrlich glänzen,
Als des Friedens Schirm und Hort!
Laß Ihn, wenn Gewitter grauen,
Wie ein Sternbild hingestellt,
Tröstend Licht hernieder thauen
In die sturmbewegte Welt!

Holde Ruh' und Eintracht walte,
Wo Er sanft das Scepter schwingt,
Seines Volkes Liebe halte
Freudig Seinen Thron umringt!
Unauflöslich fest geschlungen
Bleibe ewig dieses Band:
Rufet „Heil" mit tausend Zungen,
Heil dem milden Ferdinand!

Von Johann Gabriel Seidl (1804 — 1875)
für Kaiser Franz Joseph I. von Österreich
In Verwendung: März 1854 bis November 1918

Gott erhalte, Gott beschütze
unsern Kaiser, unser Land!
Mächtig durch des Glaubens Stütze
führ' Er uns mit weiser Hand!
Laßt uns Seiner Väter Krone
schirmen wider jeden Feind:
Innig bleibt mit Habsburgs Throne
Österreichs Geschick vereint.

Fromm und bieder, wahr und offen
laßt für Recht und Pflicht uns steh'n;
laßt, wenn's gilt, mit frohem Hoffen
muthvoll in den Kampf uns geh'n!
Eingedenk der Lorbeerreiser,
die das Heer so oft sich wand,
Gut und Blut für unsern Kaiser,
Gut und Blut fürs Vaterland!

Was des Bürgers Fleiß geschaffen,
schütze treu des Kriegers Kraft;
mit des Geistes heitern Waffen
siege Kunst und Wissenschaft!
Segen sei dem Land beschieden
und sein Ruhm dem Segen gleich:
Gottes Sonne strahl' in Frieden
auf ein glücklich Österreich!

Laßt uns fest zusammenhalten:
In der Eintracht liegt die Macht;
mit vereinter Kräfte Walten
wird das Schwerste leicht vollbracht.
Laßt uns, eins durch Brüderbande,
gleichem Ziel entgegengeh'n;
Heil dem Kaiser, Heil dem Lande:
Österreich wird ewig steh'n!

Die 1. Strophe der Hymne für Franz Joseph I. in Sprachen, die in der Österreichisch-Ungarischen Monarchie gesprochen wurden:

Italienisch

Serbi Dio l'austriaco Regno,
Guardi il nostro Imperator!
Nella fe' che gli è sostegno
Regga noi con saggio amor.
Difendiamo il serto avito
Che gli adorna il regio crin;
Sempre d'Austria il soglio unito
Sia d'Ausburgó col destin.

Ungarisch

Tartsa Isten! óvja Isten
Királyunk sa közhazát!
Eröt lelve a szent hitben
Ossza bölcs parancsszavát!
Hadd védnünk ös koronáját
Bárhonnét fenyitse vész!
Magyar honnal Habsburg trónját
Egyesité égi kéz.

Tschechisch

Zachovej, o Hospodine,
Krále nám a naši zem!
Dej, at' zviry moc Mu plyne,
At' je moudrým vladařem!
Hajme vždy koruny Jeho
Proti nepřátelům všem;
Osud trůnu Habsburského
Rakouska jest osudem.

Slovenisch

Bog ohrani, Bog obvari
Nam Cesarja, Avstrio!
Modro da nam gospodari
S svete vere pomočjo!
Branimo Mu krono dedno
Zoper vse sovražnike;
S Habsburškim bo tronom vedno
Sreča terdna Avstrije.

Kroatisch

Bože, živi, čuvaj, Bože,
Kralja našeg i naš dom!
Silan vierom da nas može
Mudrom vladat desnicom!
Štitimo Mu carstvo davno
Od navale svačije;
S habsburskom je kućom slavno
Kob spojena Austrije.

Rumänisch

Doamne sânte, Întăresce
pre al nostru Impĕrat,
Să domnească 'n ţeleptesce
pe dreptate rezimat!
Părintescilei coroane
credincios săi apĕrăm:
Dea Habsburgei nalte troane
soartea noastră s'o legăm!

Polnisch

Boze wspieraj, Boże ochroń
Nam Cesarza i nasz kraj!
Tarczą wiary rządy osłoń,
Państwu Jego siłe daj!
Brońmy przedków Jego koron,
Zwróćmy wszelki wroga cios,
Bo z Habsburgów tronem złączon
Jest na wieki Austryi los.

Illustrirtes Wiener Extrablatt.

Nr. 43.   Wien, Freitag, 12. Februar 1897.   **26. Jahrgang.**

Die hundertjährige Volkshymne.
Die erste Aufführung des Kaiserliedes im Burgtheater, 12. Februar 1797.

Die heutige Nummer ist 14 Seiten stark, enthält auf der Gratisbeilage die Fortsetzung des Romanes: „Die Geheimnisse von Paris" und acht Illustrationen.

24

Origin and Dissemination

To understand why Joseph Haydn's imperial anthem was written and why it became such a success we must recall the political position Austria was in when it was composed.

The French had declared war on April 20, 1792; since then the two countries had fought with varying degrees of success, principally in the Austrian Netherlands and along the Rhine. At the beginning of 1796 the French Minister of War, Carnot, drew up a plan for a quick military thrust into the heart of the Habsburg Monarchy, with the intention of destroying it. The 26-year-old General Bonaparte was given the supreme command of the French troops in the Italian theatre in order to bring more force to bear on Austria from that direction. The plan provided for the French Army of the Rhine to link up with the forces from Italy in the vicinity of Vienna before the end of 1796. In the Battle of Würzburg on September 3, 1796, the Archduke Karl administered a stinging defeat to the Army of the Rhine and in smaller engagements kept it from advancing further, but Bonaparte always prevailed in the especially bloody battles in Upper Italy. The Austrian troops were forced to abandon one position after another and were constantly falling back. On February 3, 1797, the Austrian fortress of Mantua fell after a siege of several months; at the beginning of March the French troops, in a spearhead from the south, reached Sterzing in Tyrol; Bonaparte took Villach and Klagenfurt and invaded Styria. On April 7, the Archduke Karl and Bonaparte concluded a ceasefire in Judenburg. It was not difficult to predict the concessions Austria would be forced to make in the Peace of Campoformido on October 17, 1797: the Austrian Netherlands, Lombardy and the whole of Upper Italy to the Etsch River were ceded to the young French Republic, while the Breisgau went to the Duke of Modena, resident there as a creature of France. Austria got some parts of the Republic of Venice, which France had dissolved. Austria was humiliated and weakened, France greatly strengthened, and no one thought that peace was likely to last for any great length of time.

In the time of Austria's greatest plight, early in 1797, fell the birthday, on February 12, of the Emperor Franz II, who was not only ruler of the Habsburg crownlands but also the elected sovereign of the Holy Roman Empire of the German Nation. The French attack was aimed first and foremost at this position; the Emperor was on the defensive. He had come to the throne in 1792 after the unexpected death of his father Leopold II but had been unable, in a luckless time of war, to win the hearts of his subjects as their ruler. His brother, Field Marshal Archduke Karl, was more popular with the people. At a time of such great emergency, however, it was necessary for political reasons that the populace identify itself wholly and trustingly with its sovereign.

With this in mind the president of the administrative district of Lower Austria, Count Franz Josef von Saurau, commissioned the poet Lorenz Leopold Haschka to write verses for a song which would inspire a feeling of unity and which, as a national anthem, would give expression to an awakening patriotic enthusiasm. Joseph Haydn was asked to set the verses. During his two stays in England, Haydn had become familiar with "God Save the King" as a national anthem; he was therefore aware of the significance of Count Saurau's idea, made it very much his own, and called his song — suggestively — a "Volkslied", a term that can mean both a folksong and a popular or national song.

The Emperor's birthday was to provide the occasion to present the song for the first time. Haydn wrote it between the middle of October 1796 and the middle of January 1797, Count von Saurau put his imprimatur on Haydn's autograph fair copy on January 28, 1797, and the song was rushed into print. The programme of the Burgtheater on February 12, 1797 consisted of the second act of Carl Ditters von Dittersdorf's comic opera "Doctor and Apothecary" and after it the "heroic-tragic-pantomimic ballet Alonzo and Cora" with music by Haydn's godson Joseph Weigl. It was probably between those two works that Haydn's "Volkslied", later to be known as the "imperial anthem", was heard for the first time, in the presence of the imperial couple.

In a well-coordinated move, copies of Haydn's song had been sent fresh from the press to all playhouses, opera houses and similar institutions in the major cities of the Monarchy, so that it could be heard there, too, during performances on February 12. It was left to the theatres to decide how the song would be performed, using the means available to them; if he so chose, the musical director might set it for mixed chorus or write a version for orchestra. The first edition printed only the melody and a piano accompaniment.

It was an excellently organized demonstration of patriotism, for which the Emperor's birthday provided a welcome occasion. The "Wiener Zeitung" reported in detail.

"At the birthday celebrations for our gloriously reigning Emperor on the twelfth of this month, his faithful subjects here and in all the Imperial and Royal hereditary lands vied with one another in offering new demonstrations of the affection, respect and honour they bear our gracious Monarch and his illustrious house. According to the reports we have received, it was throughout the length and breadth of the I. & R. hereditary lands a day of ceremony, rejoicing and delight, full of the warmest good wishes for our beloved sovereign. These sentiments were given particular expression when in all the playhouses here the orchestras struck up the national anthem 'Gott erhalte den Kaiser!' written by Herr Haschka and set to music by the most famous composer of our time, Herr Hayden (sic). This opened the floodgates of emotion in all hearts. There was universal rejoicing when His Majesty himself appeared in his box, and the audience showed its deep feeling with the greatest homage. The day was equally festive in all cities of the Monarchy ... . In Graz the public gathered in the playhouse, where the aforementioned national anthem was sung at the end by the opera singers in specially created allegorical scenery, to the great rejoicing of the audience ... . Similar festivities are reported in Judenburg and Leoben ... . The same song, with Italian verses, was sung in the grandly illuminated playhouse in Triest in the presence of His Royal Highness the Archduke Ferdinand and his consort. In Innsbruck, where the playhouse is closed at present, a concert was given in the grand hall of the University Library, and at the beginning and end of it the oft-mentioned national anthem was sung ... . In Prague, the University held a special sort of ceremony ... . Next all the assembled gownsmen joined in the singing of a Bohemian national anthem entitled 'Franz der zweyte' (Franz the Second), written by Herr Meinert and set to music by Herr Weber ... and finally Herr Haschka's national anthem, 'Gott erhalte den Kaiser', was sung ... . We have received similar reports from Brünn (Brno), Cracow, Ofen, Pest (Budapest), and other cities.''

It is interesting to note that Prague insisted on expressing fidelity to the Emperor in a twofold manner: first to King Franz of Bohemia (in that function, Franz I) with a "Bohemian national anthem", and then to the Emperor Franz (in that function, Franz II). The text by J. G. Meinert — in German, incidentally, not Czech — is consciously patterned on Haschka's words: "Gott erhalte unsern König, Gott erhalte Vater Franz." The melody by Friedrich Dionys Weber has little about it that could have guaranteed popularity. What was intended as a national anthem of the Kingdom of Bohemia was quickly forgotten once the occasion of its composition was past.

It was a different matter entirely with Haydn's song, whose first edition appeared without mention of a publisher and was probably paid for by a government office. In the same year, 1797, there were editions by five different publishers and the first arrangements were also on the market, including one for piano solo and another for two violins or flutes. In 1799 and 1800, two editions were published in London in an English translation, and in 1806 Michael Haydn's arrangement for four male voices was published in Salzburg.

It is difficult to determine whether Haydn's song was regarded at that time as an official anthem or merely as an extremely popular and important patriotic tune. The Salzburg edition is subtitled "Sung for the first time in Salzburg on March 17,

1806, on the day of the 'Erbhuldigung'." This points towards the nature of an anthem; Salzburg, which had been an independent archbishopric, became part of Austria under the Treaty of Pressburg of December 26, 1805, as compensation for many lost territories; the "Erbhuldigung" was the official takeover of the province, its administration and government by Austria.

In the course of time, the song took on more and more the character of a national anthem. In 1809, when French troops besieged and finally took Vienna, "Gott erhalte" served to kindle the flame of patriotism and to awaken the hope of a good outcome of a bad situation. With the final defeat of Napoleon and the new efflorescence of a victorious Austria, Haydn's song gained official status. Emperor Franz had had to put aside the imperial crown in 1806 when the Holy Roman Empire of the German Nation was smashed by Napoleon, but since 1804 he had been able to call himself Emperor of Austria. With the end of the Napoleonic Wars his popularity reached its peak, and he was in fact in everybody's eyes the "good Emperor Franz" of the song's words. Haydn's song can be said to have "arrived" in 1826 when it was given a place in court protocol. The court composer Franz Krommer was commissioned to do an arrangement for military band. The parts were engraved and printed by Tobias Haslinger of Vienna and were sent free of charge to regimental bands throughout the Monarchy; the arrangement was not available in music shops. On October 1, 1826, the Emperor issued the following order: "It is resolved that the national anthem shall in future be played by all regimental bands when they are on parade and being inspected by personages of importance to whom a musical salute is due according to regulations .... All care shall be taken that the hymn be performed precisely in keeping with the original issued materials, for any arbitrary alteration or supposed embellishment would harm its true spirit and detract from its effect as a show of honour."

A word about the London editions: Broderip & Wilkinson (1799) and Monzani & Cimador (1800) published the anthem in a setting for two voices and piano entitled "Hymn for the Emperor" and "Hymn for the Emperor Francis", respectively. In the Broderip & Wilkinson edition, the first verse reads in Charles Burney's translation:

> God preserve the Emp'ror Francis / Sov'reign ever good and great;
> Save, o save him from mischances / In Prosperity and State!
> May his Laurels ever blooming / Be by Patriot Virtue fed;
> May his worth the world illumine / And bring back the Sheep misled!
> God preserve our Emp'ror Francis! / Sov'reign ever good and great.

Erste Wiener Ausgabe der Streichquartette op. 76 (Hob. III:75-80), 1799 kurz nach oder gleichzeitig mit der Erstausgabe in London erschienen und Graf Joseph Erdödy gewidmet. Das dritte dieser Quartette ist das sogenannte „Kaiserquartett".

First Viennese edition of the String Quartets Op. 76 (Hob. III:75-80), published in 1799 at the same time as the London first edition or shortly thereafter, and dedicated to Count Joseph Erdödy. The third quartet in this set is the Emperor-Quartet.

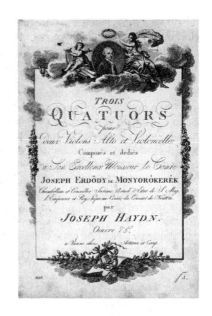

Continuation and New Topicality

The original text of Haydn's imperial anthem, written by Lorenz Leopold Haschka, an aesthetics professor who had in his day a reputation as a poet, was soon translated, adapted, and also replaced by other verses. The first English translation was by Charles Burney, the first known Italian translation by Giuseppe Carpani, with another by Giuseppe Bombardini. Eventually there were translations into all the languages spoken in the Monarchy, as well as into Latin, which served as the official language in some regions. The adaptations range from minor variants to additional verses referring to current events or including the Emperor's later wives in the homage.

It is an indication of the quality and popularity of Haydn's melody that it was used by himself in the "Emperor Quartet" (Hob. III:77) and by other composers down to our own time as a theme for variations — and that other words entirely were written to it. Right at the start in 1797 the version "Gott erhalte Karl den Helden" (God preserve Karl the hero) could be heard, a reference to the Emperor's brother and a clue to the presence of latent political tension. Other verses, also from the time of the Napoleonic Wars, express the hope for victory and peace, taking up the original intention of the song. Before the end of 1797 Haydn's melody was published in Hamburg as "Gesellschafts-Lied (convivial song) by Herr Joseph Haydn", with the words "Auf ihr Schwestern, auf ihr Brüder, die der Freundschaft Band umschliesst . . ."; Haydn was not asked, he could not do anything about it, and he earned nothing from it. In 1800 the melody appeared again in Hamburg, this time as a "Folksong for Hamburg's Happy Citizens with Music by J. Haydn" ("Singt in jubelvollen Chören, Vivat! Hamburg lebe hoch"). In 1799 a publisher in Berlin offered it as a freemasons' song ("Brüder, die des Bundes Schöne auf der Erde rund vereint . . ."), and ten years after that it turned up in a Paris edition for the first time as an offertory in the Catholic liturgy with the words "Domine Salvum fac Regem". Later the tune was used as the vehicle for so many Latin texts, liturgical and para-liturgical, that no accurate number can be given; it can still be heard in some places as "Tantum ergo". Of the many other text underlays we mention only the "National Anthem for Chorus with a new text to His Majesty the King of Saxony" which was published in 1827. Considering the year, this was an act of plagiarism with a certain political explosiveness. Not one copy of this edition is known to exist today; it may well be that it was called in after an intervention at government level.

Umtextierung der Hymne — allerdings ohne öffentliche Autorisierung — auf Kaiserin Carolina Augusta, die vierte Gemahlin von Kaiser Franz, 1828

Recasting of the anthem's text — without public authorization — to refer to Empress Carolina Augusta, Emperor Franz's fourth wife, 1828

Ferdinand Schubert (1794 – 1859):
Bearbeitung für dreistimmigen
Männerchor, Autograph, undatiert

Ferdinand Schubert (1794 – 1859):
Arrangement for three-part male
chorus, autograph, undated

When Emperor Franz died on March 2, 1835, he was succeeded by his son
Ferdinand I and a new text for the anthem became a political necessity. The text
had to be found quickly, for the new Emperor's birthday was on April 19, and by
then the new words had to be presented and introduced. Fourteen drafts were
submitted by March 24, but a commission which met that day under the
chairmanship of the chancellor, Prince Metternich, could not make up its mind to
accept any of them. For reasons which are not quite clear, it instead asked Karl
von Holtei, an actor and poet from Breslau who was making guest appearances
in Vienna, to write a new four-verse text. On April 19, 1835, it was sung in the
theatres; like the "national song" of 1797, it had been printed and distributed to
the audience. Reading Holtei's words today, we are not surprised that they were
rejected by the public at large; in the Burgtheater they were hissed on April 19,
despite the presence of the imperial couple. Surprisingly, a "Patriotic Anthem"
by Anton Diabelli to words by Schubert's friend Josef Schickh became so
popular that it was regarded as a sort of "counter-anthem", for one reason, as
we learn from contemporary sources, because the words were by a native
Austrian — the issue of the anthem's text had suddenly become an affair of
state. Without much ado, Baron Joseph Christian von Zedlitz — a former officer,
he was then living as a gentleman of private means in Vienna and was

31

successful as a poet — was asked to write new words to Haydn's melody which would replace the verses by Holtei. Zedlitz soon submitted a text and the Emperor approved it on February 3, 1836, in a note in his own hand. In a decree of February 12, 1836, Zedlitz's words became the official text of the national anthem. Like the original verses, they were soon translated into many languages: Hungarian, Czech, Polish, Illyrian, Croat, Serbian, Slovene, Italian, Ruthenian, Romanian, Walachian, modern Greek, Aramaic, Hebrew and Latin.

By now, Haydn's melody was so firmly anchored in the mind of the public as an anthem that there were no more major or demeaning plagiarisms. Outside Austria a variant of Haschka's text continued to exist, and in 1841 August Heinrich Hoffmann von Fallersleben published his "Lied der Deutschen", giving Haydn's tune a new set of verses that was to become a source of political conflict in the future.

In Austria there were various politically-inspired updatings and new formulations in connection with the events of 1848, the year of revolution. Benno Phisemar wrote verses celebrating Ferdinand as the first constitutional emperor. Words by Joseph Paul Czerny expressed concern for the continuance of the Monarchy: "Gott erhöre unser Flehen, segne unsern Ferdinand! Lasse ihm zur Seite stehen Räthe, die die Eintracht band ... ." They were short-lived effusions even though they were distributed in print.

On December 2, 1848, Emperor Ferdinand abdicated and his 18-year-old nephew Franz Joseph came to the throne; again a new official text was needed. New verses were asked for and submitted to a government commission, but the

Italienische Ausgabe der Fassung für Kaiser Ferdinand I., Mailand und Florenz, ca. 1836

Italian edition of the version for Emperor Ferdinand I, Milan and Florence, c.1836 authorities were not in any great hurry to approach the problem. After the turbulence of a year of revolution, it was felt that what was needed was to stress the positive aspects of tradition and continuity. For that reason the authorities were prepared to put up with a text that was out of date, and with variants that differed from one place to another.

Shortly after Franz Joseph's accession to the throne, however, the Prime Minister, Prince Felix Schwarzenberg, had approached Franz Grillparzer with a request for a suitable text. The poet had written one back in 1835 but had probably never submitted it. Now there was no reaction at all for the time being. Not until 1853 was the matter of a new text again taken up. Acting on a note from the Emperor dated April 9, 1853, the Interior Minister, Baron Alexander von Bach, invited Grillparzer once more to write the desired words. Grillparzer responded with a slightly altered version of his draft of 1835, expressing his doubts in a covering letter: "Writing verses to an existing melody, verses which are to be sung and must match the structure and stresses of the music, demands experience in that sort of thing which I do not have. Furthermore, having known the song since my childhood and in the most difficult days of the Monarchy, it has become so much a part of me that both the music and the old words have taken on a certain venerability. I am therefore moved to adjust my old text to the new circumstances rather than write entirely new words, and that makes the whole thing a little clumsy … ." The text does not strike one as clumsy, but it is perhaps too thought-out, too lofty, maybe even too ingenious for an anthem intended to be universally popular. The minister accepted Grillparzer's arguments and asked the Emperor for permission to invite a small group of Austrian poets to write a text. There was no time to lose; the Emperor's marriage to the Bavarian Princess Elisabeth was due to take place on April 24, 1854. Meanwhile, Adalbert Stifter, at the request of the I. & R. government of Upper Austria (where nothing was known of the steps taken by the ministry in Vienna), had declared himself in favour of a new text, saying it should be written by Grillparzer; but Grillparzer's name was not among those of the poets whose work was, so to speak, on the short list. On March 22, 1854, the minister submitted to the Emperor his proposal — based on detailed considerations — that the text by Johann Gabriel Seidl be chosen. Franz Joseph gave his consent in a hand-written note on March 27; Haydn's anthem had acquired its third official text.

At the time there was a fifth verse referring to the coming marriage; the minister was in favour and the Emperor accepted his decision. It was later replaced by a verse in honour of the Empress, but the official version of the anthem always consisted of four verses only. There were no revisions or adaptations, no references to current events throughout the long reign of Emperor Franz Joseph I, though there were certainly incidents enough; Haydn's anthem was finally raised above the level of day-to-day politics.

Richard von Perger (1854–1911): Bearbeitung für Chor und großes Orchester, Autograph, undatiert

Richard von Perger (1854–1911): Arrangement for chorus and large orchestra, autograph, undated

The anthem was intended to symbolize the tradition and the immutable continuance of the Empire, uninfluenced by any current events or transient phenomena. At this point, some people began to wonder whether they were singing the same melody that had been heard for the first time in 1797. Haydn's string quartet adaptation had in fact had an influence on the tune; grace-notes had been interpreted differently over the years; and the harmonizations, choral arrangements, orchestrations and so on were products of their time and, strictly speaking, did not correspond stylistically to the original melody. Between 1889 and 1893 efforts were made to reconstruct the melody in Haydn's original version and to bring all accompaniments and harmonizations uniformly into line with Haydn's style; reproductions in school songbooks were affected, as were arrangements for chorus, orchestra and military band. After long deliberation, which included the examination of many submitted scores, an arrangement for military band by Karl Komzák was selected to replace the still official one by Franz Krommer, which — needless to say — had long since been altered by regimental bandmasters to suit changes in instrumentation. For all other purposes, five arrangements by the director of the Archives of the Gesellschaft der Musikfreunde in Vienna, Eusebius Mandyczewski, were officially introduced. Komzak and Mandyczewski had the same goal in mind: Haydn's anthem was to be heard in a timeless setting corresponding to the style of the period in which it was written.

After the death of the Emperor Franz Joseph on November 21, 1916, it was thought that a fifth verse should be written for the anthem, referring to the new Emperor Karl and perhaps to the Empress Zita. There were differences of opinion. The Interior Minister, Count Friedrich von Toggenburg, approached several poets with a request for a draft text, and on May 11, 1918, he recommended that the Emperor adopt and recognize words by Franz Karl Ginzkey.

A few months later the end came for the Empire for which Haydn's anthem had been such an important bond of unity. On November 12, 1918, the Republic of "German Austria" was proclaimed; earlier Hungary and Czechoslovakia had declared their independence.

Haydn's melody lived on. It was laden with tradition, perhaps — in the opinion of the day — even burdened with tradition, but Austria could not bear to part with it. On August 11, 1922, it became the official national anthem of the German Republic, with the words "Deutschland, Deutschland über alles", written in 1841 by August Heinrich Hoffmann von Fallersleben. On December 13, 1929, it was designated the national anthem of the Republic of Austria, with words by Ottokar Kernstock ("Sei gesegnet ohne Ende"); a new anthem written in 1920 by Wilhelm Kienzl to words by Karl Renner had not caught on. Both the government of Germany and of Austria were trading on the popularity of Haydn's melody, but their choice was a political decision that bore the seeds of political conflict in the future. That Hoffmann von Fallersleben's text transformed the anthem of the Habsburg community of peoples into a "German national anthem" was to have an historic taint.

All this has nothing more to do with the so-called imperial anthem, Joseph Haydn's "Volkslied" that gave the peoples of the Austrian Monarchy their national awareness and their special feeling of unity. The history of Haydn's melody ended in 1918.